Ta książka należy do:

....

Spis treści

Zabawa w chowanego 4

Fiona i listonosz 12

Zabawy w deszczu 20

Żółta piłka 28

Chłopczyca Tina 36

Zgubiony miś 44

Tytuł oryginału: Stories for 2 Year Olds
Ilustracje: Mike Garton
Tłumaczenie: Katarzyna Dmowska
Korekta: Monika Tomaszewska

ISBN 978-83-7770-206-2

Firma Księgarska Olesiejuk spółka z ograniczoną odpowiedzialnością S.K.A.
05-850 Ożarów Mazowiecki
ul. Poznańska 91
wydawnictwo@olesiejuk.pl

Dystrybucja: www.olesiejuk.pl

Wydrukowano w Chinach

Historyjki

dla 2-latka

Zabawa w chowanego

Ania tatę ładnie prosi: – Zagraj ze mną w chowanego.
Stara się gdzieś ukryć tacie, potem będzie kolej jego.

Tata liczy do dziesięciu, potem woła: – Szukam, Aniu!
Sprawdza w szafie i pod łóżkiem, biega szybko po mieszkaniu.

Był już w kuchni i w łazience. – Może w skrzyni z zabawkami?
Więc zagląda do kuferka, do szuflady z ubraniami...

– Gdzie podziała się ta Ania? Chyba nigdy się nie dowiem.
Znów pod łóżko szybko zerka, smutny drapie się po głowie.

Wpadł na pomysł, jest nadzieja. – Wiem! Schowała się na schodach!

Biegnie tam więc, patrzy czujnie, lecz jej nie ma – jaka szkoda!

Tata już się zaczął martwić, nasłuchuje: wszędzie cicho.
Wtedy jednak blisko łóżka dobiegł go zduszony chichot.

9

Tata się powoli skrada, pod koc zerka i... – A kuku!
Śmieją się oboje głośno. – Dobrze się schowałaś, zuchu.

– Aniu, liczysz, ja się chowam, znajdź mnie teraz, moja córko.
Ania lubi chowanego, może tak się bawić w kółko.

Fiona i listonosz

Gdy listonosz do drzwi puka, Fiona bardzo się go boi.
Lecą listy na podłogę, ona pełna strachu stoi.

Najpierw zawsze trzaśnie furtka, potem słychać kroków parę.
Ma listonosz worek listów, wrzuca je przez małą szparę.

Dziś od rana – bardzo dziwne – nie było go widać nigdzie.
Fiona bacznie nasłuchuje, kiedy w końcu furtka skrzypnie.

W końcu słychać do drzwi dzwonek, mama zaraz je otworzy,
Fiona chowa się w kryjówce i zamyka mocno oczy.

Nagle zerka przestraszona. Słoń jest duży i zwalisty.
Ale co on trzyma w trąbie? Dzisiaj ma nie tylko listy.

– To dla ciebie paczka, Fiono, aż z dalekiej szła krainy.
Szybko ją przyniosłem tutaj, bo dziś twoje urodziny!

W paczce jest dla ciebie prezent, wysłali go ciocia i wujek.
Fiona śmieje się szczęśliwa. – Bardzo, bardzo panu dziękuję!

I już się nie boi słonia, śmieje się do niego pięknie.
Cieszy się, że ich odwiedził – niech przychodzi jak najczęściej.

Zabawy w deszczu

Hipcia lubi, kiedy pada. Benek widzi deszcz za oknem.
– Czy możemy wyjść na zewnątrz? Obiecuję, że nie zmoknę!

Mama na to: – Idźcie, dzieci, tylko włóżcie swe kalosze,
A do tego pelerynki i parasol zabrać proszę!

Hop! W kałużę skacze Hipcia. – Teraz w bucie mi chlupocze!
Co za radość biegać w deszczu! Benek śmiga i chichocze.

Benek wskoczył do kałuży. Podskakuje z całej siły.
Wnet ochlapał całą Hipcię – dzieci błotem się pokryły!

Hipcia już ma dosyć wody i wolałaby być sucha.
Jest jej także coraz zimniej – błoto wlało się do buta!

– Chodź do domu, drogi Benku, już mnie to moknięcie nuży.
Chciała z błota wyjść, lecz oto… Poślizgnęła się w kałuży.

– Ach, masz rację, droga Hipciu, bardziej zmoknąć już nie można.

Chodźmy więc do domu szybko, przy kominku tam się ogrzać.

Mama dała dzieciom ciastka – do nich słodka lemoniada.
Dobrze czasem wyjść jest na dwór, nawet kiedy ciągle pada.

Żółta piłka

Gdzie jest wielka żółta piłka? Węszą za nią Jaś i Lola.
Przeszukali cały domek, teraz więc na ogród pora.

– Spójrz, na grządce chyba leży. – Jaś zakrywa nos i usta.

– Ach, pomyłka, teraz widzę, to śmierdząca jest kapusta!

– Sprawdzę w szopie – mówi Lola. Jednak zrzedła jej wnet mina.

W szopie ciemno jest okropnie, wszędzie wisi pajęczyna!

Lola dzielnie szuka dalej, bo bez piłki – po zabawie!
Nagle pająk ją przestraszył, wpadła wprost na taty grabie.

Wyskoczyła więc jak z procy, dzięki czemu – nie uwierzysz –
Zobaczyła, że pod płotem coś żółtego w trawie leży.

– Nasza wielka żółta piłka! Zguba jest odnaleziona!
Jasio śmieje się i woła: – Wielkie dzięki! Dzielna Lola!

Psiaki się bawiły piłką cały letni dzionek długi.
Wciąż rzucały ją, turlały, lecz tak by jej znów nie zgubić.

Ach, za piłką można ganiać i od płotu ją odbijać.
Przy zabawie z żółtą piłką dzień od razu milej mija!

Chłopczyca Tina

– Droga Tino, dziś przyjęcie, zaraz poznasz swą kuzynkę.
Włóż sukienkę oraz buty, powitamy tę dziewczynkę.

Jednak Tina kręci głową, żadnej sukni nie chce wkładać.
– Ja chcę wspinać się na drzewa! Suknia będzie mi
przeszkadzać!

Puk, puk – to kuzynka Zosia. Widać piękną jej sukienkę.
Złote bransoletki dzwonią, gdy podnosi każdą rękę.

W swojej zwiewnej lśniącej sukni Zosia tańczy na paluszkach.
Tina myśli: „Baletnica! Albo jakaś śliczna wróżka!".

Gdy tak Zosia z gracją pląsa, Tina patrzy na swe spodnie.
– Zosiu – woła do niej głośno – pomóż mi się ubrać modnie!

– Nie ma sprawy, moja Tino, niech twa smutna zniknie mina,
Nawet w spodniach i bez spinek możesz czuć się jak
dziewczyna.

Szybko poszły wybrać razem różne ciuszki i ozdoby,
A do tego na pazurki piękny lakier kolorowy.

Wraca Tina razem z Zosią, oklaskami je przyjęto.

– Moja córciu, nawet w spodniach dziś wyglądasz tak
dziewczęco!

Zgubiony miś

Nadchodzi nocka, księżyc świeci, dawno powinny już spać dzieci małe,

Lecz mały Tadek wciąż się nie kładzie, bo swego misia nie może znaleźć.

Szukają z tatą misiaczka w szafie, szukają także wśród innych zabawek.

– Gdzie jesteś, mój kochany misiu? – smutnym głosikiem pyta Tadek.

I nagle tata dostrzega w łóżku pluszowy nosek i czarne oczy.
– Twój miś jest tutaj, zapewne sam pod kołdrę wskoczył.

– Ach, ty, urwisie! – zawołał Tadek, ale bez złości.
Przytulił mocno swojego miśka, by razem z nim się umościć.

– Śpijcie więc dobrze – rzekł do nich tata. Lecz one nic nie powiedziały.

Dlaczego? Sprawa jest bardzo prosta: oba już smacznie spały.